DIE KLEINE GUTE FEE
UND DER TOD

Für Antonia (2024)

DIE KLEINE GUTE FEE UND DER TOD

Nikolaus Heidelbach

DUMONT

Ein kleiner Junge schlief friedlich in seiner Wiege.
Er hieß Lukas Linser und war gerade mal zwei Tage alt.
Mitten in der Nacht erschienen zwei Gestalten: eine kleine gute Fee
und ein kleiner dicker Tod.

»Meiner!« sagte der Tod.
»Denkste.« sagte die Fee.
»Ich war erster.« sagte der Tod.
»Glatt gelogen!« sagte die Fee.
»Der kommt jetzt mit.« sagte der Tod.
»Nur über meine Leiche.« sagte die Fee.
»Du willst also kämpfen?« sagte der Tod.
»Sicher!« sagte die Fee, »aber nicht hier, sonst wecken wir ihn noch auf.«
»Wo also?«
»Auf dem Spielplatz, sofort.«

Auf dem Spielplatz war außer den beiden niemand.

»Schnick - Schnack - Schnuck.« sagte der kleine dicke Tod.
»Sehr gut.« sagte die kleine gute Fee.

Zwei Minuten später hatte sie klar gewonnen.

»Abzählreim!« sagte der Tod und fing sofort an.

 Eine

kleine 

 Micky

Maus 

 zog

sich 

 ihre

Hose 

 aus.

Die 

 Hose

war 

 rot.

Du 

 bist

tot. 

»Haha! Vertan!« sagte die Fee.
»Verdammt!« sagte der Tod.

»Und jetzt ›Wer länger hängen kann‹!« sagte die Fee.
Und schon hingen beide im Gerüst. Sehr lange.
Irgendwann sagte die Fee »Wie spät ist es eigentlich?«
Der Tod ließ mit einer Hand los, um auf seine Uhr zu sehen, rutschte mit der anderen ab und fiel runter.
»Gewonnen.« sagte die Fee.

In die Teufelswippe setze sich der Tod zuerst. Da nahm die Fee Anlauf und sprang mit solcher Wucht in ihren Sitz, dass der Tod hoch geschleudert wurde und auf den Boden knallte.

»Hat überhaupt nicht wehgetan.« sagte er.
»Trotzdem verloren.« sagte die Fee.

An der Drehscheibe hielt der Tod sehr lange durch. Und den Trick mit der Uhr konnte die Fee nicht nochmal machen. Also erzählte sie den Witz von dem Skelett, das zum Arzt kommt und der Arzt sagt:
»Sie kommen aber spät!«

Und der Tod konnte sich vor Lachen nicht halten.
»Schon wieder verloren.« sagte die Fee.

Auf der Kreiselraupe stellte sich der Tod so blöd an, dass die Fee es kaum glauben konnte.

»6:0!« sagte sie.

Beim Wettlauf zu den drei Steinen gewann die Fee ganz knapp.

»Mit Flügeln ist unfair.« sagte der Tod außer Atem.
»Vergiss es.« sagte die Fee.

Von der langen Seilbahn flogen beide irgendwann runter,
die Fee aber erst nach dem Tod.

»Klar gewonnen.« sagte die Fee.
Der Tod knirschte mit den Zähnen.

Beim Lanzenstechen saß die Fee einfach fester im Sattel.

»Ich krieg dich doch noch!« zischte der Tod, ...

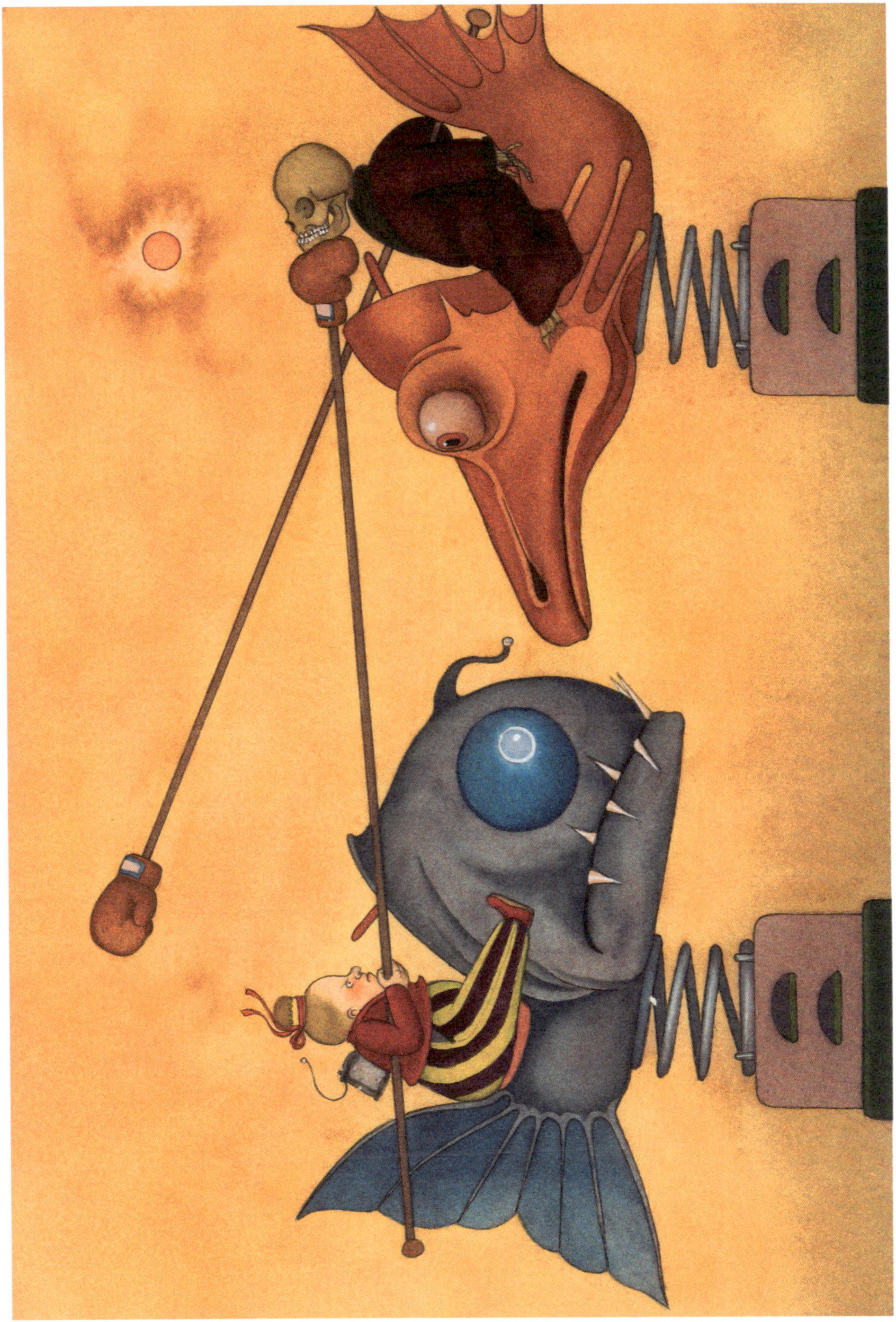

... aber von Tischtennis hatte er nun wirklich keinen blassen Schimmer.

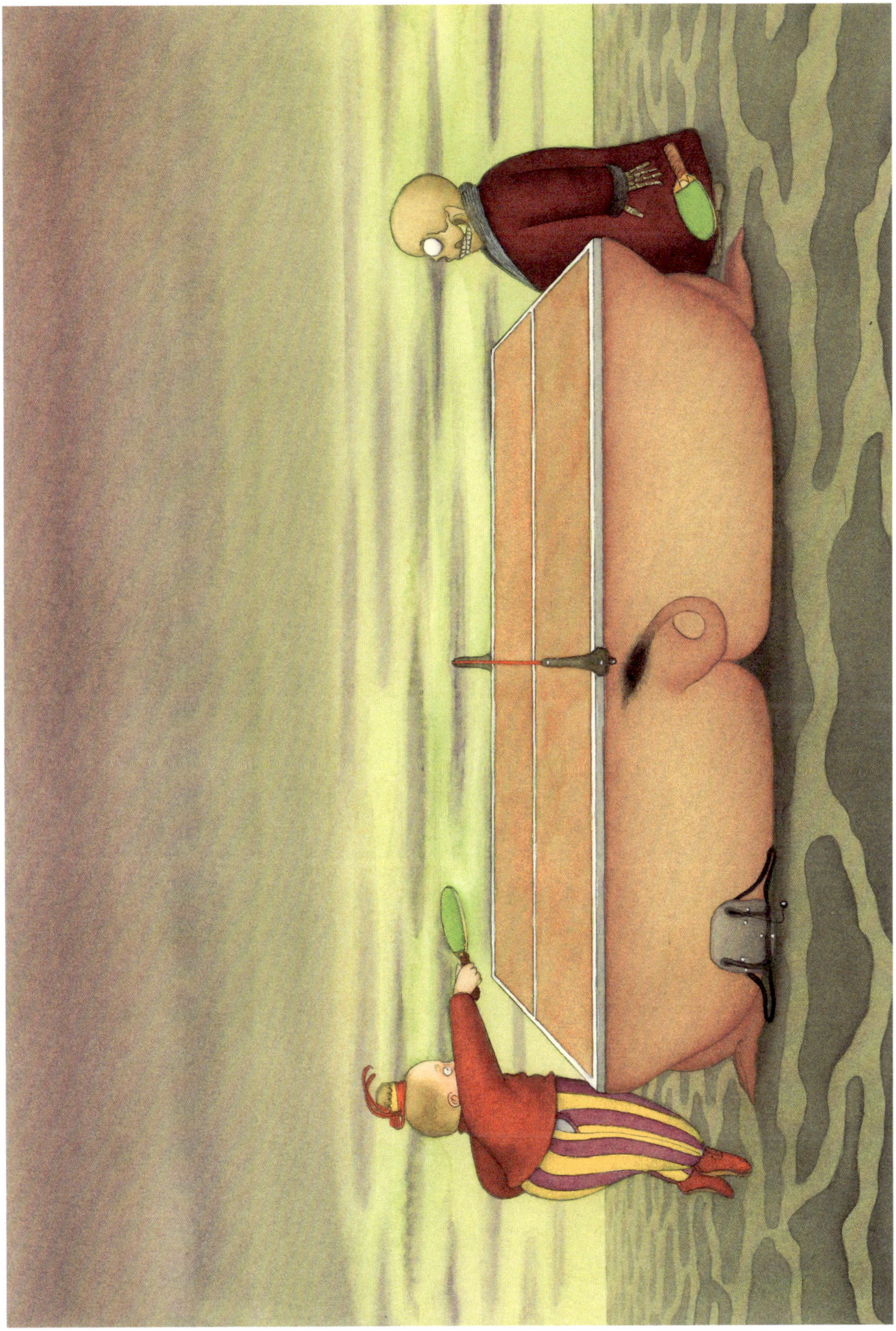

Am Schleuderball hatte er erst recht keine Chance.

»Der Typ ist parteiisch!« schrie der Tod.
»Und wenn schon.« sagte die Fee.

1 kg

Und auch auf dem Trampolin war die Fee einfach besser.

»Schon wieder gewonnen,« sagte sie »12:0! Das war's wohl!«
»Blöde Kuh!« sagte der Tod »aber eins sag' ich dir: Kein Mensch gewinnt auf Dauer gegen mich!!«
»Eine Fee aber schon.« sagte die kleine Fee.
»Sicher?!« brüllte der Tod »Ich bin viel größer als du denkst, pass mal auf!«

Da erschrak die kleine Fee.
Fast wäre sie in Ohnmacht gefallen – aber nur fast.

»Sehr eindrucksvoll.« sagte sie.
»Danke.« sagte der Tod, als er wieder normal aussah.
»Wollen wir kurz zum Friedhof?«
»Aber gerne.« sagte die Fee.

Im Handumdrehen erschienen beide am frischen Grab von Lukas Linser.

»Doch gewonnen!« sagte der kleine dicke Tod und grinste dreckig.
»Wie du meinst.« sagte die kleine gute Fee und dann lachte sie.

1955 LUKAS LINSER 2054

Wenn man in den Ferien am Strand zufällig die kleine gute Fee sieht, dann lässt man sie besser in Ruhe. Sie muss sich erholen. Und falls jemand sie braucht, kommt sie von allein.

Nikolaus Heidelbach, geboren 1955, zählt zu den großen deutschen Illustratoren der Gegenwart. Seine Werke wurden vielfach ausgezeichnet, z.B. mit dem Sondermann-Preis für Komische Kunst, dem Sonderpreis des Deutschen Jugendliteraturpreises und dem Joachim-Ringelnatz-Preis.

Das bei der Produktion dieses Buches entstandene CO_2
wurde durch die Finanzierung von Klimaschutzprojekten
kompensiert: climate-id.com/17531-2110-1001/de

1. Auflage 2025

Amsterdamer Straße 192, 50735 Köln, info@dumont-buchverlag.de

Reproduktionen: PPP Pre Print Partner, Köln
Druck und Bindung: GCC, Grafisches Centrum Cuno, Calbe

FSC www.fsc.org MIX Papier | Fördert gute Waldnutzung FSC® C043106

Printed in Germany
ISBN 978-3-7558-2022-2
www.dumont-buchverlag.de

Nikolaus Heidelbach, geboren 1955, zählt zu den großen deutschen Illustratoren der Gegenwart. Seine Werke wurden vielfach ausgezeichnet, z.B. mit dem Sondermann-Preis für Komische Kunst, dem Sonderpreis des Deutschen Jugendliteraturpreises und dem Joachim-Ringelnatz-Preis.

Das bei der Produktion dieses Buches entstandene CO_2 wurde durch die Finanzierung von Klimaschutzprojekten kompensiert: climate-id.com/17531-2110-1001/de

1. Auflage 2025

Amsterdamer Straße 192, 50735 Köln, info@dumont-buchverlag.de

Reproduktionen: PPP Pre Print Partner, Köln
Druck und Bindung: GCC, Grafisches Centrum Cuno, Calbe

FSC www.fsc.org MIX Papier | Fördert gute Waldnutzung FSC® C043106

Printed in Germany
ISBN 978-3-7558-2022-2
www.dumont-buchverlag.de